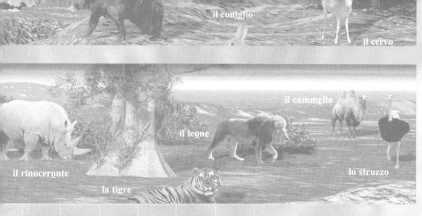

il coniglio
il cervo
il cammello
il leone
lo struzzo
il rinoceronte
la tigre

la sveglia
la segreteria telefonica

Vocabolario Visuale

T. Marin

la soffitta / la mansarda
il balcone
lo studio
la cucina
la sala da pranzo

il ghiacciaio
gli uccelli
il bosco
il prato
l'erba
l'anatra

36

EDILINGUA

www.edilingua.it

T. Marin ha studiato lingua e filologia italiana presso le Università degli Studi di Bologna e Aristotele di Salonicco. Ha conseguito il Master Itals (didattica dell'italiano) presso l'Università Ca' Foscari di Venezia e ha maturato la sua esperienza didattica insegnando presso varie scuole d'italiano. È autore di diversi testi per l'insegnamento della lingua italiana: *Progetto italiano 1, 2* e *3* (Libro dello studente), *Progetto italiano Junior* (Libro di classe), *La Prova orale 1* e *2*, *Primo Ascolto*, *Ascolto Medio*, *Ascolto Avanzato*, *l'Intermedio in tasca*, *Ascolto Autentico*, *Vocabolario Visuale* e *Vocabolario Visuale - Quaderno degli esercizi*. È coautore di *Nuovo Progetto italiano Video 1* e *2*. Ha tenuto varie conferenze sulla didattica dell'italiano come lingua straniera e sono stati pubblicati numerosi suoi articoli.

© Copyright edizioni Edilingua

Sede legale
Via Paolo Emilio, 28 00192 Roma
info@edilingua.it
www.edilingua.it

Deposito e Centro di distribuzione
Via Moroianni, 65 12133 Atene
Tel. +30 210 5733900
Fax +30 210 5758903

I edizione: gennaio 2003
Impaginazione e progetto grafico: Edilingua
Illustrazioni: S. Scurlis

Ha collaborato M. A. Rapacciuolo
ISBN: 978-960-7706-50-8

Premessa

Cos'è?

Il VOCABOLARIO VISUALE è uno strumento valido per chi vuole imparare il lessico di base della lingua italiana. Attraverso illustrazioni molto moderne presenta in modo vivace e piacevole oltre 1.000 parole di uso quotidiano e di alta frequenza che comprendono sostantivi, verbi, aggettivi e preposizioni.

A chi è rivolto?

Il VOCABOLARIO VISUALE è rivolto sia a chi studia l'italiano (come lingua straniera o seconda) sia a chi, per un motivo o un altro (ad es. turismo) ha bisogno di un dizionario pratico e semplice nell'uso. È stato disegnato in modo da essere adatto per studenti di ogni età: bambini, ragazzi, adolescenti e adulti. Questo grazie alla sua impostazione grafica moderna e accattivante, vicina agli stimoli estetici odierni, che ricorda quella dei videogiochi, dato che le immagini sono una combinazione di illustrazioni tridimensionali e di foto.

Quali e quante parole?

Il VOCABOLARIO VISUALE ha un obiettivo molto preciso: presentare e aiutare a imparare parole veramente utili allo studente. Quindi per ogni argomento vengono presentate solo le parole più importanti e non un elenco esauriente di tutto il lessico relativo. Così la memorizzazione diventa molto più facile ed efficace. D'altra parte un'immagine con 30 o più parole sicuramente creerebbe confusione allo studente, mentre anche il risultato estetico sarebbe analogo.

È importante, inoltre, il fatto che le parole vengono riportate sopra o accanto alle illustrazioni, collegate ad esse con piccole frecce. In questo modo l'associazione immagine - parola è immediata, facilitando al massimo la memorizzazione. Un segno grafico, infine, indica la sillaba accentata in modo da facilitare l'apprendimento della pronuncia corretta sin dall'inizio.

Un elenco alfabetico alla fine del libro permette di trovare velocemente tutte le parole ed espressioni presenti nel Vocabolario.

Come usarlo?

Il VOCABOLARIO VISUALE ha una struttura molto semplice e chiara: è composto da 40 unità tematiche di una o due pagine ognuna. Può essere utilizzato sia in classe, insieme ai compagni e all'insegnante, sia individualmente, a casa. Al fine di far riflettere sulle immagini si potrebbero fare alcune semplici attività: ascoltare le parole (dal cd audio/dall'audiocassetta o dall'insegnante) e poi leggerle ad alta voce; osservare per un minuto l'immagine e poi (a libro chiuso) rispondere a domande sulle parole esistenti o meno o sulla loro posizione ("è vicino a..." ecc.); mettere le parole al plurale; esprimere il proprio parere sulle immagini (preferenze, commenti, paragoni con la propria realtà ecc.).

Il Quaderno

Il VOCABOLARIO VISUALE può essere usato in modo autonomo oppure essere accompagnato dal QUADERNO DEGLI ESERCIZI che contiene una vasta varietà di attività finalizzate alla memorizzazione delle parole. È corredato dal libro delle chiavi e può a sua volta essere usato in classe o in autoapprendimento.

Buon divertimento!

INDICE

1 uno

2 due

3 tre

4 quattro

5 cinque

6 sei

7 sette

8 otto

9 nove

10 dieci

21 ventuno

11 undici

12 dodici

13 tredici

14 quattordici

15 quindici

16 sedici

17 diciassette

18 diciotto

19 diciannove

20 venti

22 ventidue

30 trenta

40 quaranta

50 cinquanta

60 sessanta

70 settanta

80 ottanta

90 novanta

100 cento

101 centouno

500 cinquecento

1.000 mille

10.000 diecimila

1.000.000 un milione

1.000.000.000 un miliardo

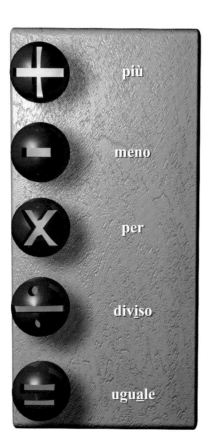

più

meno

per

diviso

uguale

21° ventunesimo

ventesimo 20°

19° diciannovesimo

diciottesimo 18°

17° diciassettesimo

sedicesimo 16°

15° quindicesimo

quattordicesimo 14°

13° tredicesimo

dodicesimo 12°

11° undicesimo

decimo 10°

9° nono

ottavo 8°

7° settimo

sesto 6°

5° quinto

quarto 4°

3° terzo

secondo 2°

1° primo

i miei genitori

mio padre   mia madre

mio fratello

io!

il mio fratellino

(la sorella di mia madre)
mia zia

(i genitori di mio padre)
mia nonna   **mio nonno**

(il marito di mia zia)
mio zio

(la figlia dei miei zii)
mia cugina

(il figlio dei miei zii)
mio cugino

il comignolo

l'abbaino

il tetto

l'antenna parabolica

la soffitta / la mansarda

la finestra

il bagno

la camera da letto

la porta

la tenda

le scale

l'ingresso

il salotto

il giardino

il balc**o**ne

lo st**u**dio

la cuc**i**na

la sala da pranzo

i fi**o**ri

11

lo specchio

la doccia

la tenda

il water

il lavandino

la vasca da bagno

il caminetto

il tavolino

la poltrona

il divano

il tappeto

il vaso

la parete

la lampada

l'armadio

il letto

il comodino

il pavimento

il quadro

la libreria

lo scaffale

il termosifone

la scrivania

il rubinetto

il cassetto

il lavandino

il frigorifero

il forno

la sedia

il tavolo

il parquet

la mano

il braccio

l'ascella

il ginocchio

il petto

l'addome

la caviglia

il polpaccio

la coscia

la mano / le dita

il mignolo

l'anulare

il medio

l'indice

il pollice

l'unghia

il polso

il collo

la schiena

la testa

la spalla

la gamba

il gomito

il piede

la faccia

i capelli

la fronte

l'orecchio

l'occhio

il naso

la bocca

il mento

la guancia

sono le otto meno cinque

**alle nove
in punto**

**alle undici
e cinquanta**
(alle dodici
meno dieci)

**alle tredici
e trenta**
(all'una
e mezza)

alle quindici
(tre) **e un
quarto**

alle diciassette
(cinque) **e
dieci**

alle venti
(alle otto)

**alle ventidue e
quaranta** (alle
undici meno venti)

MERCOLEDÌ
30
SETTEMBRE

GIOVEDÌ
1

8:00

9:00 — 9.00 LEZIONE

10:00

11:00 — 11.50 ESAME

12:00

13:00 — 13.30 TEL. LUIGI

14:00

15:00 — 15.15 DA ANNA

16:00

17:00 — 17.10 TENNIS

18:00

19:00

20:00 — 20.00 CINEMA

22.40 TV IL POSTINO

8:00
9:00
10:00
:00
12:00
13:00
14:00
15:00
16:00
17:00
18:00
19:00
20:00

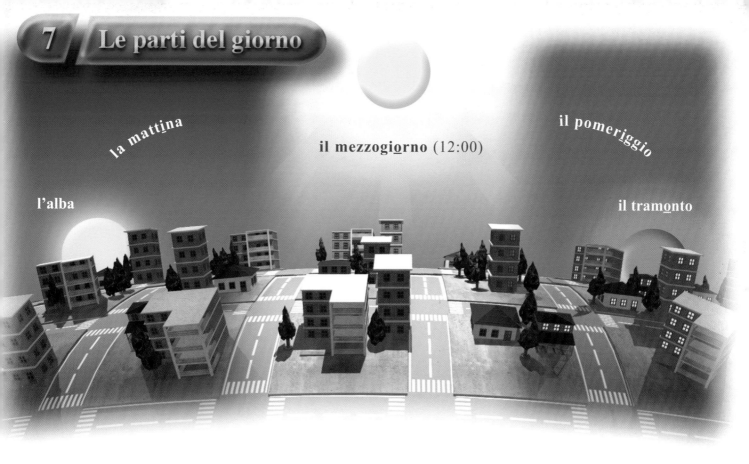

la mattina

il mezzogiorno (12:00)

il pomeriggio

l'alba

il tramonto

la sera

la notte

la mezzanotte (24:00)

fra

su
(sulla poltrona)

sopra

davanti

dietro

sotto

di fianco

in/dentro

fuori

18

in alto

lontano
(in fondo)

a sinistra

a destra

in basso

vicino

lungo

19

PROGRAMMA	lunedì	martedì	mercoledì	giovedì	venerdì	sabato	domenica
1.							
2.							

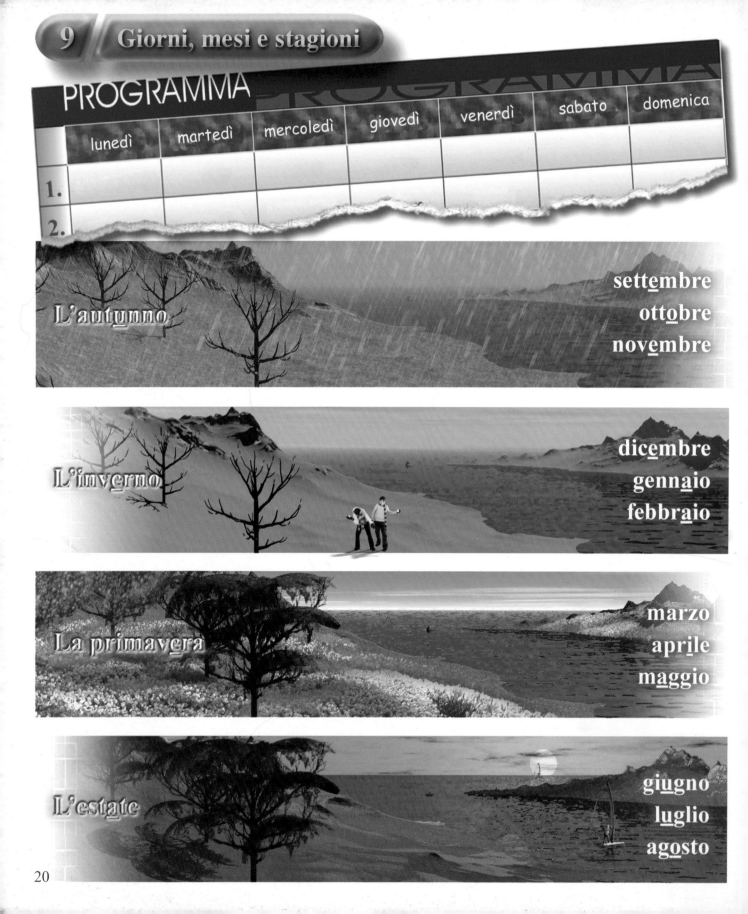

L'autunno

settembre
ottobre
novembre

L'inverno

dicembre
gennaio
febbraio

La primavera

marzo
aprile
maggio

L'estate

giugno
luglio
agosto

Il Polo Nord

L'Europa

L'Asia

L'Africa

L'Oceano Indiano

L'Oceano Atlantico

L'America del Nord

L'Oceano Pacifico

L'Oceania

**L'America del Sud
(L'America Latina)**

L'Antartide

Le regioni

1. Friuli Venezia Giulia
2. Trentino Alto Adige
3. Veneto
4. Lombardia
5. Valle d'Aosta
6. Piemonte
7. Liguria
8. Emilia Romagna
9. Toscana
10. Umbria

Aosta — 5
Milano
Trento
6
2
Torino
4
3
1
Genova 7
Bologna
Trieste
8
Venezia
Firenze
9
Ancona
Mar Adriatico
Perugia
10
11
Roma
L'Aquila
12
13
Campobasso
14
20
15
Cagliari
Napoli
Bari
16
Potenza
17
Mar Tirreno
18
Palermo
Catanzaro
19
Mar Ionio

11. Marche
12. Lazio
13. Abruzzo
14. Molise
15. Campania
16. Puglia
17. Basilicata
18. Calabria
19. Sicilia
20. Sardegna

1. Islanda
2. Norvegia
3. Svezia
4. Finlandia
5. Russia
6. Estonia
7. Lettonia
8. Lituania
9. Bielorussia
10. Ucraina
11. Moldavia
12. Romania
13. Bulgaria
14. Turchia
15. Grecia

Mar Mediterraneo

16. Fyrom
17. Albania
18. Serbia
19. Ungheria
20. Slovacchia
21. Polonia
22. Rep. Ceca
23. Austria
24. Slovenia
25. Croazia

26. Bosnia Erzegovina
27. Italia
28. Corsica
29. Svizzera
30. Germania
31. Danimarca
32. Olanda (Paesi Bassi)
33. Belgio
34. Lussemburgo

35. Francia
36. Regno Unito
(Inghilterra, Galles, Scozia)
37. Irlanda
38. Spagna
39. Portogallo

c'è il sole

fa caldo

è sereno

le nuvole

è nuvoloso / è variabile

tira vento / c'è vento

la pioggia

l'ombrello

piove

il temporale

il fulmine

la nebbia

nevica

la neve

fa freddo

il ghiaccio

i regali
l'albero di Natale
il Natale (25/12)
Babbo Natale

i fuochi d'artificio
lo spumante
il Capodanno (1/1)
la festa dell'ultimo dell'anno

San Valentino (14/2)
la Pasqua (marzo/aprile)
l'uovo di Pasqua

il costume

la maschera

il Carnevale
(febbraio)

lo sposo

la chiesa

la sposa

il prete

il matrimonio

il Ferragosto (15/8)

il compleanno

i palloncini

la torta

il filobus

l'automobile

l'autobus

il tram

lo scooter

la bicicletta

il taxi/il tassì

il furgone

il fuoristrada

la moto

la metropolitana

la stazione della metropolitana

l'elicottero

l'aereo

il treno

il ponte

la nave

la barca

il motoscafo

il pullman

il camion

29

la carta geografica

la classe

il mappamondo

il banco

il portapenne

la cattedra

lo zainetto

il temperamatite

il quaderno

la squadra

la matita

l'astuccio

leggere

l'alunno

il righello

la lavagna

scrivere

il gesso

l'insegnante /
la maestra

il libro

la gomma

la penna

il binario

il marciapiede

le rotaie

i passeggeri

PARTENZE / DEPARTURES

AL	..	MILANO			
AL	..	TORINO	10:25	07	PARTITO
BU	..	SOFIA	10:40	08	PARTITO
AA	..	NEW YORK	10:50	07	PARTITO
AF	..	BUENOS AIRES	10:55	05	
AL	..	FRANCOFORTE	11:05	06	
LU	..	AMSTERDAM	11:15	04	
OA	..	ATENE	11:30	01	
AA	..	LOS ANGELES	11:40	03	
SA	..	MADRID	11:50	02	
LU	..	PARIGI	11:55	05	
SW	..	MOSCA	12:10	06	
AL	..	NAPOLI	12:25	07	
BA	..	LONDRA	12:30	08	
AL	..	PALERMO	12:40	10	
			13:25	12	

il tabellone degli orari

il banco informazioni

INFORMAZIONI

il banco del check-in

ALITALIA AIRONE

la sala d'attesa

il carrello

il bagaglio

il tabellone degli orari

lo sportello

la fila

la biglietteria

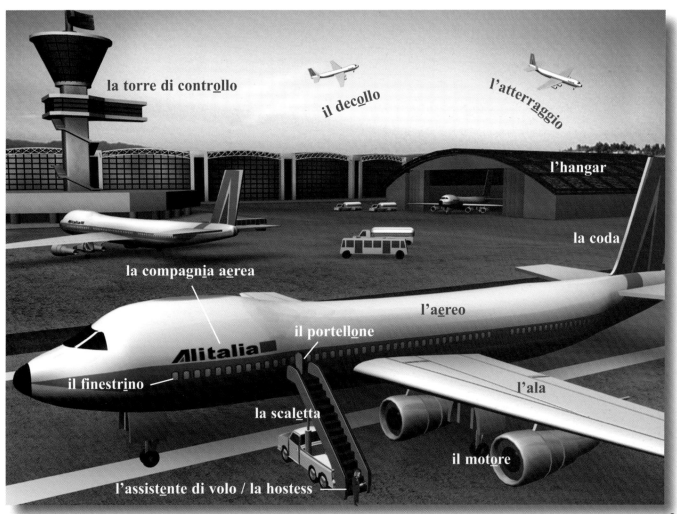

la torre di controllo

il decollo

l'atterraggio

l'hangar

la coda

la compagnia aerea

l'aereo

il portellone

il finestrino

l'ala

la scaletta

il motore

l'assistente di volo / la hostess

l'isola

il faro

l'onda

la barca a vela

tuffarsi

la barca a remi

il mare

il respiratore

nuotare

la maschera

la stella marina

l'ombrellone

l'ombra

la sabbia

il telo da spiaggia

l'orizzonte

il windsurf

il porto

il gabbiano

lo scoglio

il costume da bagno

il materassino

la sedia a sdraio

la spiaggia

il pallone

il salvagente

le conchiglie

35

19 In montagna e nel bosco

gli uccelli
il ghiacciaio
il lago
il bosco
il prato
lo zaino
l'erba
la roccia
l'anatra
il fiume
lo scoiattolo

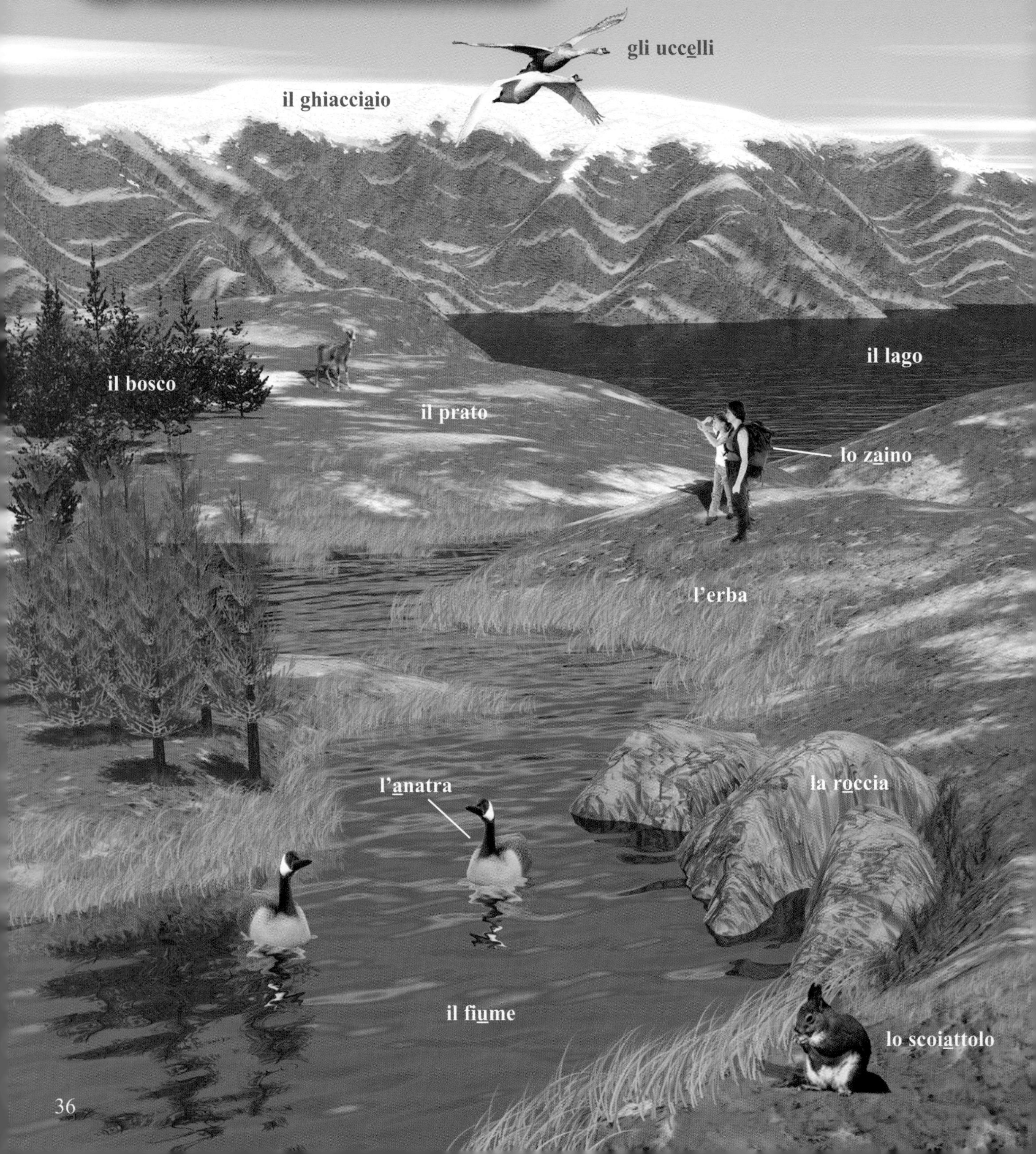

l'aquila

la vetta

la montagna

la cascata

la collina

l'albero

il sentiero

il cespuglio

la tenda

il sacco a pelo

37

la canna da pesca

la pesca

in pizzeria

al bar

le cuffie

la musica

la macchina fotografica

la fotografia

a teatro

al cinema

la lente d'ingrandimento

la collezione di francobolli

ad un concerto

giocare a scacchi

la lettura

i libri

in discoteca

ballare

giocare a calcio

**giocare con
i videogiochi**

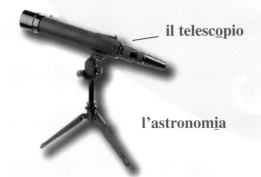

il telescopio

l'astronomia

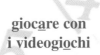

i pesi

in palestra

correre   camminare   bere

scrivere   studiare   lavorare

saltare   cantare   ballare

leggere **ridere** **discutere**

telefonare **aspettare** **pagare**

dormire **ascoltare** **giocare**

cucinare **piangere** **mangiare**

il cuoco

la cucina

l'antipasto

MENU

gli spaghetti / la pasta

la bistecca / la carne

la sedia

l'insalata

l'acqua

la frutta

il caffè

la tovaglia

42

la cameriera

il menù

la cliente

le patate fritte

il pesce

il tavolo

la zuppa

la bottiglia
di vino

la pizza

il bicchiere

il coltello

il formaggio

il cucchiaino

il piatto

il cucchiaio

la forchetta

il pane

43

l'atletica leggera

la corsa

il salto in lungo

la bicicletta

il ciclismo

la scherma

il fioretto

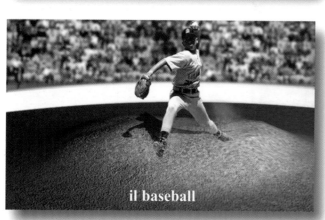

il baseball

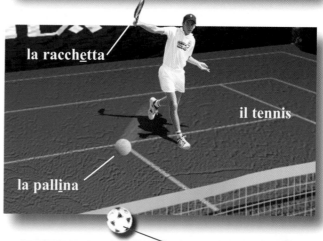

la racchetta

il tennis

la pallina

il pallone

la ginnastica artistica

il calcio

il campo

il salto in alto

lo sci

il rugby

il pugilato

i guantoni

l'equitazione

il nuoto

la piscina

la rete

la pallavolo

il tabellone segnapunti

la pallacanestro

il canestro

45

la gabbia

il canarino

il gatto

il negozio di animali

CHIUSO

SU

il criceto

il coniglio

il pappagallo

il gattino

il cucciolo

il pesciolino rosso

il cane

il guinzaglio

46

il cavallo

il toro

il puledro

la mucca

il vitello

l'asino

la pecora

l'agnello

il maiale

il pollaio

il gallo

la gallina

il pulcino

l'oca

DETERSIVI E PRODOTTI VARI

la crema

la saponetta

lo shampoo

il detersivo
per i piatti

la schiuma
da barba

il bagnoschiuma

la carta igienica

il detersivo

PASTA

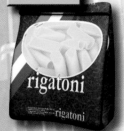
i rigatoni

le tagliatelle

i ravioli

le penne

i tortellini

le farfalle

i fusilli

gli spaghetti

ALIMENTARI VARI

l'aceto

l'olio di oliva

il caffè

il tonno

i biscotti

i cereali

LATTICINI E FORMAGGI

il burro

lo yogurt

il latte

il parmigiano

la mozzarella

il pecorino

SALUMI

la pancetta

il prosciutto crudo

la mortadella

49

la cassetta

i cavoli

i limoni

le pannocchie

la zucca

i pomodori

l'aglio

il cavolfiore

il prezzemolo

le banane

le carote

le melanzane

le patate

il broccolo

le cipolle

i peperoni

la cassa

la bilancia

la fruttivendola

l'uva

le fragole

le arance

le ciliege

le pere

le mele

il melone

i funghi

l'anguria / il cocomero

51

la modella

il fotografo

l'agente di polizia / il poliziotto

il medico

l'infermiera

la segretaria

la ballerina

il barista

la cameriera

il meccanico

il muratore

il cuoco / lo chef

il pompiere /
il vigile del fuoco

la farmacista

l'operaio

l'ingegnere

l'impiegato di banca

la cantante

l'insegnante

il regista
l'attore
l'attrice

la commessa

corto

lungo

vecchio

nuovo / moderno

caldo

freddo

pieno

vuoto

aperto

chiuso

pesante

leggero

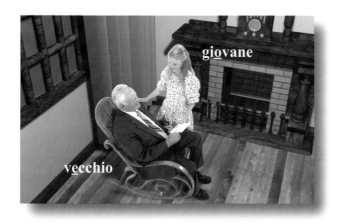

giovane

vecchio

grasso

magro

bella

brutta

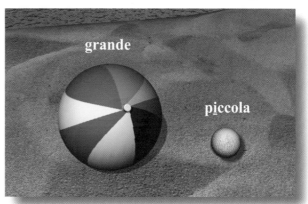

grande

piccola

lento

veloce

alto

basso

molti

sporco

pulito

pochi

55

30 Vestiti e accessori 1

il costume da bagno
la camicia a maniche corte
il vestito
i bermuda
le ciabatte
la maglietta
i pantaloncini

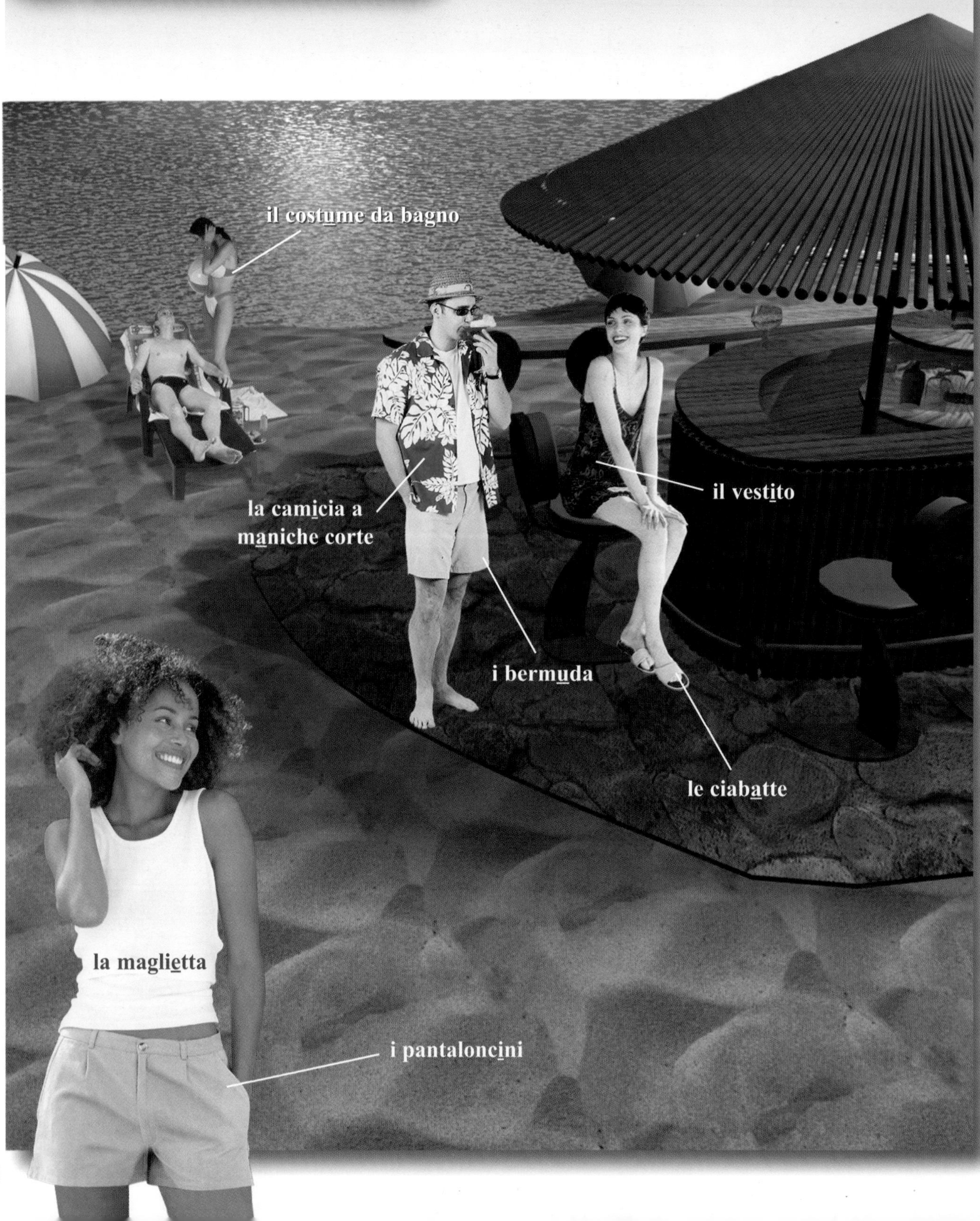

la camicetta

la giacca

il gilè

la camicia a
maniche lunghe

i jeans

i pantaloni

il completo
da uomo

i sandali

gli stivali

le scarpe da uomo

le scarpe da donna

le scarpe da ginnastica

gli occhiali da sole

gli occhiali da vista

l'orologio

la minigonna

la maglia

la gonna
lunga

il collant

il bottone

l'impermeabile

la sciarpa

la giacca a vento

il giubbotto

il berretto di lana

i guanti

le calze

l'ombrello

la cravatta

la borsa

la cintura

il cappello

il marsupio

il portafoglio

il centro commerciale

il negozio di abbigliamento

ODEON

il cinema

CREDITO

la banca

il negozio di fiori

il bancomat

la fermata dell'autobus

la fontana

la piazza

le cabine telefoniche

l'agenzia di viaggi

il marciapiede

la libreria

il negozio di calzature

la strada

il semaforo

60

il negozio di dischi

euroMARKET

il supermercato

la farmacia

la chiesa

l'edificio / il palazzo

l'ufficio postale

la buca
per le lettere

l'edicola

la panetteria

la pescheria

l'incrocio

il negozio di elettrodomestici

le strisce pedonali

la gioielleria

la pasticceria

61

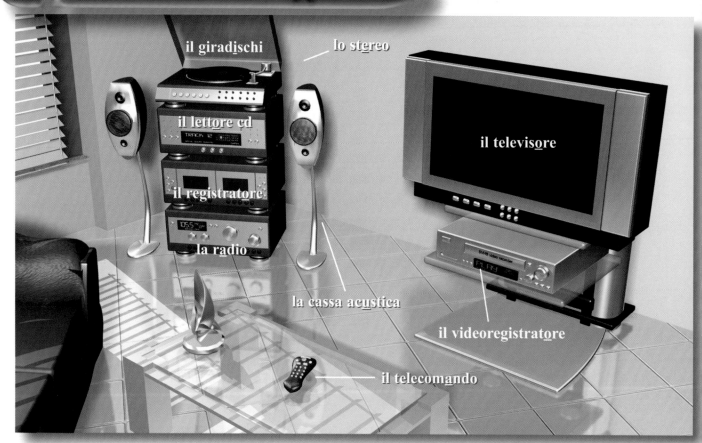

il giradischi

lo stereo

il lettore cd

il televisore

il registratore

la radio

la cassa acustica

il videoregistratore

il telecomando

il congelatore

la caffettiera

il fornello

la pentola

il tostapane

il frullatore

il forno a microonde

il forno

il frigorifero

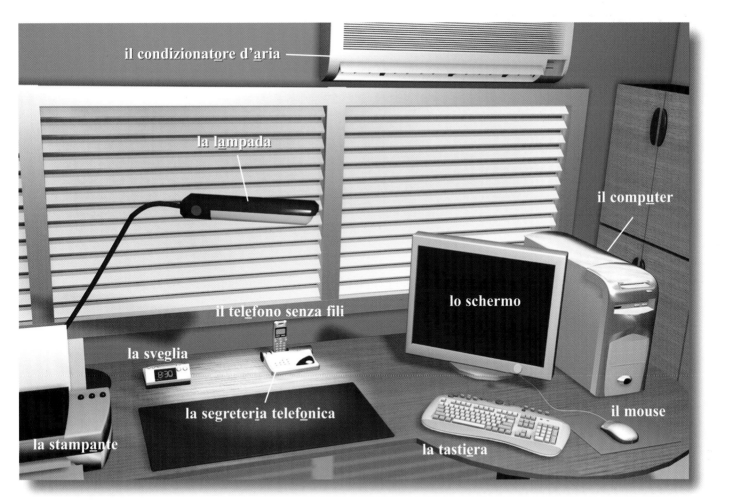

il condizionatore d'aria

la lampada

il computer

il telefono senza fili

lo schermo

la sveglia

la segreteria telefonica

il mouse

la stampante

la tastiera

il rubinetto

la lavastoviglie

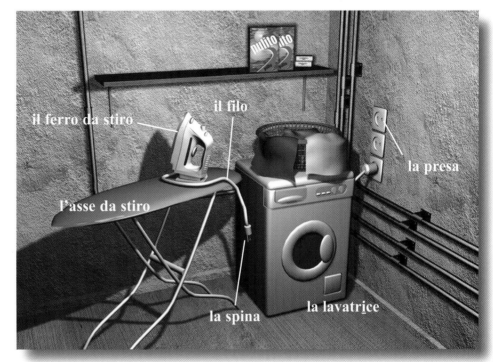

il ferro da stiro

il filo

la presa

l'asse da stiro

la spina

la lavatrice

63

il delfino

la foca

i pesciolini

la giraffa

il coccodrillo

l'elefante

il gorilla

la zebra

il lupo

la volpe

il serpente

la tartaruga

il pescecane

il granchio

i pesci

l'aragosta

la balena

il cammello

il leone

il rinoceronte

lo struzzo

la tigre

l'orso

il coniglio

il cervo

la rana

la cometa

la galassia

Giove

le stelle

Marte

la Luna

la Terra

Venere

il satellite

Mercurio

i meteoriti

il Sole

Plutone

Urano

Nettuno

Saturno

il disco volante

i pianeti del sistema solare

la stazione spaziale

la navetta spaziale

l'astronauta

lo specchietto retrovisore

il parabrezza

il tachimetro

il clacson

la radio

il cassetto

il volante

il climatizzatore

la frizione

il freno

il cambio

l'acceleratore

il freno a mano

il tergicristallo

il cofano

il faro

la freccia

la targa

ABC 2786

il paraurti

curva pericolosa

divieto di accesso

limite di velocità

direzione obbligatoria

sosta vietata

attraversamento pedonale

lavori in corso

divieto di sorpasso

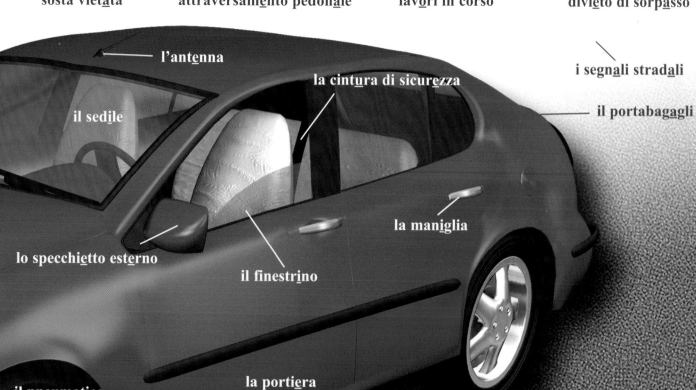

l'antenna

la cintura di sicurezza

il sedile

i segnali stradali

il portabagagli

la maniglia

lo specchietto esterno

il finestrino

il pneumatico

la portiera

l'asfalto

il proiettore

la pellicola

il grande schermo

il corridoio

la platea

la sala cinematografica

le poltrone

i cartoni animati

un film d'avventura

una commedia

un western

un film del terrore

un film di fantascienza

i riflettori

le quinte

lo scenario

il palco

il sipario

gli attori

il palcoscenico

gli spettatori

il teatro

la scultura

la pittura

la ballerina

la danza

la fotografia

lo scultore

il pittore

la fisarmonica

la chitarra

il violino

la batteria

il pianoforte

il sassofono

gli strumenti musicali

71

la tavolozza

il bianco

l'azzurro

il grigio

il blu

il nero

il verde

il giallo

Vocabolario Visuale

il cavalletto

il marrone

il rosso

l'arancione

il cubo

la sfera

il cilindro

il cerchio

l'ovale

il triangolo

il quadrato

il rettangolo

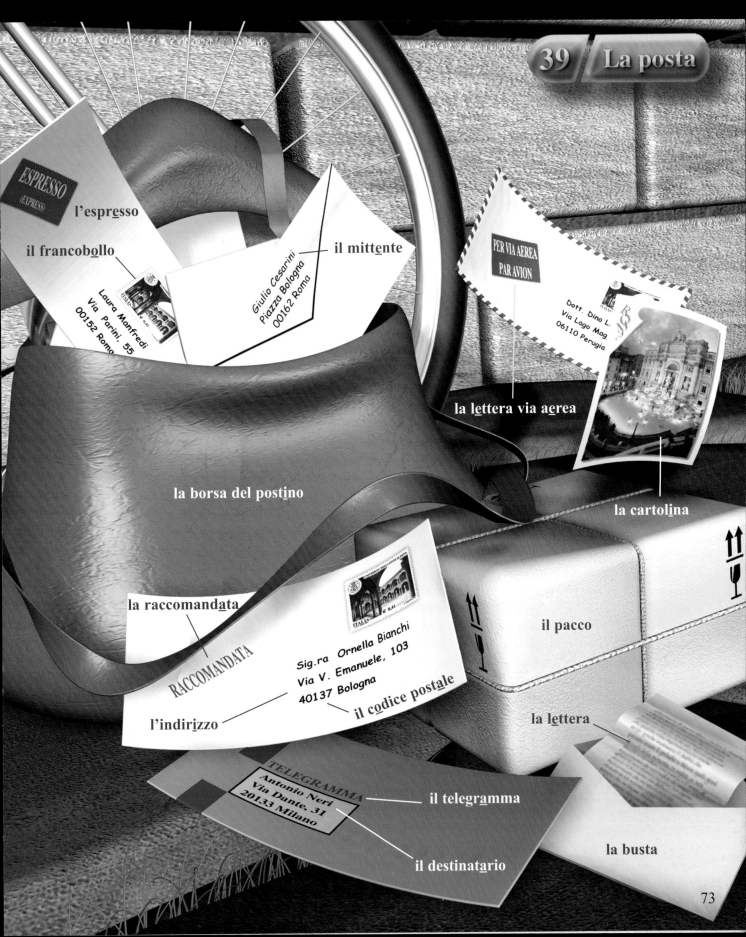

l'espresso

il francobollo

il mittente

PER VIA AEREA
PAR AVION

la lettera via aerea

la cartolina

la borsa del postino

la raccomandata

il pacco

il codice postale

l'indirizzo

la lettera

il telegramma

il destinatario

la busta

73

la tazza

il tubetto

la scatola

il sacco

il secchio
il barile

la scatola

la bomboletta

la bottiglia

il vaso

il cestino

il barattolo

il pacchetto

il sacchetto

il bicchiere

la lattina

la borraccia

Indice alfabetico delle parole

I numeri si riferiscono alle unità

edizioni Edilingua

Nuovo Progetto italiano 1 T. Marin - S. Magnelli
Corso multimediale di lingua e civiltà italiana
Livello elementare

Nuovo Progetto italiano 2 T. Marin - S. Magnelli
Corso multimediale di lingua e civiltà italiana
Livello intermedio - medio

Nuovo Progetto italiano 3 T. Marin
Corso multimediale di lingua e civiltà italiana
Livello medio - avanzato

Nuovo Progetto italiano Video 1 e 2
T. Marin - M. Dominici
Videocorso di lingua e civiltà italiana
Livello elementare - intermedio

Progetto italiano Junior 1 T. Marin - A. Albano
Corso multimediale di lingua e civiltà italiana
Livello elementare

Allegro 1 L. Toffolo - N. Nuti
Corso multimediale d'italiano. Livello elementare

Allegro 1 A. Mandelli - N. Nuti
Esercizi supplementari e test di autocontrollo
Livello elementare

Allegro 2 L. Toffolo - M. G. Tommasini
Corso multimediale d'italiano. Livello preintermedio

Allegro 3 L. Toffolo - R. Merklinghaus
Corso multimediale d'italiano. Livello intermedio

La Prova orale 1 T. Marin
Manuale di conversazione. Livello elementare

La Prova orale 2 T. Marin
Manuale di conversazione. Livello medio - avanzato

Vocabolario Visuale-Quaderno degli esercizi T. Marin
Attività sul lessico. Livello elementare - preintermedio

Diploma di lingua italiana (Preparazione alle prove
d'esame**)** A. Moni - M. A. Rapacciuolo

Scriviamo! A. Moni
Attività per lo sviluppo dell'abilità di scrittura
Livello elementare - intermedio

Sapore d'Italia M. Zurula
Antologia di testi. Livello medio

Invito a teatro L. Alessio - A. Sgaglione
Testi teatrali per l'insegnamento dell'italiano a
stranieri. Livello intermedio - avanzato

l'Intermedio in tasca T. Marin
Antologia di testi. Livello preintermedio

Primo Ascolto T. Marin
Materiale per lo sviluppo della comprensione orale
Livello elementare

Ascolto Medio T. Marin
Materiale per lo sviluppo della comprensione orale
Livello medio

Ascolto Avanzato T. Marin
Materiale per lo sviluppo della comprensione orale
Livello superiore

Al circo! B. Beutelspacher
Italiano per bambini. Livello elementare

Forte! L. Maddii - M.C. Borgogni
Corso di lingua italiana per bambini (6-11 anni)
Livello elementare

Collana Raccontimmagini S. Servetti
Prime letture in italiano. Livello elementare

Una grammatica italiana per tutti 1
A. Latino - M. Muscolino. Livello elementare

Una grammatica italiana per tutti 2
A. Latino - M. Muscolino. Livello intermedio

I verbi italiani per tutti R. Ryder
Livello elementare - intermedio - avanzato

Raccontare il Novecento
P. Brogini - A. Filippone - A. Muzzi
Percorsi didattici nella letteratura italiana
Livello intermedio - avanzato

Mosaico Italia M. De Biasio - P. Garofalo
Percorsi nella cultura e nella civiltà italiana
Livello intermedio - avanzato

Collana l'Italia è cultura M.A. Cernigliaro
Collana in 5 fascicoli: Storia, Letteratura, Geografia,
Arte, Musica, cinema e teatro

Collana Primiracconti Letture graduate per stranieri
Traffico in centro (A1-A2) M. Dominici
Un giorno diverso (A2-B1) M. Dominici
Il sosia (C1-C2) M. Dominici
Il manoscritto di Giotto (A2-B1) F. Oddo

Collana Cinema Italia A. Serio - E. Meloni
Attività didattiche per stranieri.
Io non ho paura - Il ladro di bambini (B2-C1)

Collana formazione

italiano a stranieri Rivista quadrimestrale per l'insegnamento dell'italiano come lingua straniera/seconda